Textes : Rémi Guichard, Françoise Bobe (Les pingouins au bain, Une pie, Nuages,
Souris, Souricette, Câlinou koala), domaine public
Conforme à la loi n° 49.956 du 16 juillet 1949
sur les publications destinées à la jeunesse.
© Éditions Nathan / VUEF, 2002
ISBN : 2-09-211148-5 pour le livre
ISBN : 2-09-230479-8 pour le pack livre + CD
N° d'éditeur : 10118053
Dépôt légal : octobre 2004

Comptines interprétées par Rémi

Illustrations de Annelore Parot

comptines
et
jeux de
doigts

Nathan

Sur le pont d'Avignon

Refrain :
Sur le pont d'Avignon,
L'on y danse, l'on y danse.
Sur le pont d'Avignon,
L'on y danse tous en rond. (bis)

Les messieurs font comme ça,
Et puis encore comme ça. (bis)

(Refrain)

Les mesdames font comme ça,
Et puis encore comme ça. (bis)

(Refrain)

Tout le monde fait comme ça,
Et puis encore comme ça. (bis)

6

deux petits bonshommes

Deux petits bonshommes
S'en vont au bois
Chercher des pommes
Et puis des noix
Des champignons
Et puis ils rentrent
Dans leur maison.
Deux petits bonshommes

8

Savez-vous planter les choux ?

Savez-vous planter les choux
À la mode, à la mode.
Savez-vous planter les choux
À la mode de chez nous. (bis)

On les plante avec le doigt
À la mode, à la mode.
On les plante avec le doigt
À la mode de chez nous. (bis)

On les plante avec le pied ...

On les plante avec le nez ...

10

ah ! les crocodiles

Un crocodile s'en allait à la guerre
Disait au r'voir à ses petits enfants.
Traînant des pieds dans la poussière,
Il s'en allait combattre les éléphants.
(Ah ! Ah ! Ah !)
Ah ! les cro-cro-cro, les cro-cro-cro,
Les crocodiles,
Sur les bords du Nil ils sont partis
N'en parlons plus.
(bis)

Les pingouins au bain

Ils claquent du bec
Se font des courbettes
Les petits pingouins
En allant au bain.

À la queue leu leu
Ou bien deux par deux
Les petits pingouins
Vont prendre leur bain.

Au rocher de glace
Les pingouins s'entassent
Et plongent un à un
Vive l'heure du bain.

Dans leur fourrure grise
Courent sur la banquise
Les petits pingouins
La mer est si loin.

À la queue leu leu, ou bien deux par deux

les pe- tits pin-gouins vont pren-dre leur bain.

Dans leur four-rure grise, courent sur la ban-quise

les pe- tits pin-gouins la mer est si loin.

45

 Le Petit Poussin Picore

Le petit poussin picore.
Sa maman lui dit encore.
Son papa lui dit assez.
Gare gare au gros chat
Qui rôde non loin de là !

16

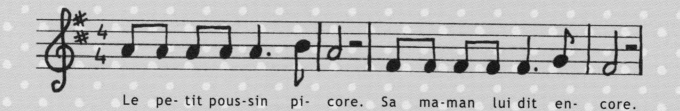

Le pe- tit pous-sin pi- core. Sa ma-man lui dit en- core.

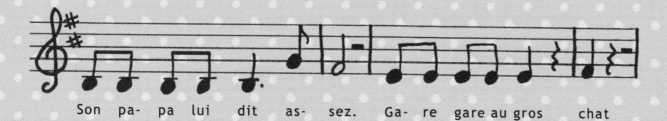

Son pa- pa lui dit as- sez. Ga- re gare au gros chat

qui rô- de non loin de là.

17

une pie

Refrain :
Une pie joue du piano
Piani piano
Une pie joue du piano
Piano pianino

Elle joue et puis se déhanche
Touche noire touche blanche
Elle joue et puis se déhanche
Touches noires et blanches
(Refrain)

Quel concert pour les oiseaux
Do ré mi do ré do
Quel concert pour les oiseaux
Do ré mi ré do
(Refrain)

Elle danse de branche en branche
Robe noire robe blanche
Elle danse de branche en branche
Robes noires et blanches

Elle revient à son piano
Piani piano
On n'entend plus que l'écho
De son piano

18

La branche du Sapin

La branche du sapin
Pique mes mains
Pique mes mains
La branche du sapin
Pique mes mains
Je les cache bien.

La branche du rosier
Pique mon nez
Pique mon nez
La branche du rosier
Pique mon nez
Il faut le cacher.

Les fleurs dans les prés
Gratouillent mes pieds
Gratouillent mes pieds
Les fleurs dans les prés
Sentez sentez
Parfument l'été.

La bran-che du sa-pin pi- que mes mains pi-que mes mains

la bran-che du sa-pin pi- que mes mains je les ca- che bien.

touche
ton
nez

montre
tes pieds

cache
tes
mains

21

Nuages

Petit nuage bleu chante tout joyeux

Petit nuage blanc pleure doucement

Petit nuage gris sanglote sans bruit

Petit nuage noir trépigne le soir

Et c'est l'orage.

Pe- tit nu- a- ge bleu chante tout jo- yeux Pe-

tit nu- a- ge blanc pleure douce-ment Pe- tit nu- a- ge

gris sanglote sans bruit Pe- tit nu-a- ge noir tré-pigne le soir.

23

il était un petit homme

Il était un petit homme,
Pirouette cacahuète,
Il était un petit homme
Qui avait une drôle de maison,
Qui avait une drôle de maison.

Sa maison est en carton,
Pirouette, cacahuète,
Sa maison est en carton,
Ses escaliers sont en papier. (bis)

Si vous voulez y monter...
Vous vous cass'rez le bout du nez. (bis)

Le facteur y est monté...
Il s'est cassé le bout du nez. (bis)

On lui a raccommodé...
Avec du joli fil doré. (bis)

Le beau fil s'est cassé...
Le bout du nez s'est envolé. (bis)

Un avion à réaction...
A rattrapé le bout du nez. (bis)

Mon histoire est terminée...
Messieurs, mesdames, applaudissez ! (bis)

24

Meunier tu dors

Meunier, tu dors,
Ton moulin va trop vite,
Meunier, tu dors,
Ton moulin va trop fort. (bis)

Refrain : Ton moulin, ton moulin va trop vite,
Ton moulin, ton moulin va trop fort. (4 fois)

Meunier, tu dors,
Et le vent souffle, souffle.
Meunier, tu dors,
Et le vent souffle fort. (bis)

Refrain (4 fois)

Meunier, tu dors,
Voici venir l'orage,
Le ciel est noir,
Il va bientôt pleuvoir. (bis)

Refrain (4 fois)

souris souricette

Où cours-tu si vite souris, souricette ? (bis)
Je m'en vais au pré faire des galipettes. (bis)

Refrain : Galipettes et pirouettes, galipettes et pirouettes
Pirouettes et galipettes, pirouettes et galipettes
Galipettes et pirouettes, galipettes et pirouettes (bis)

C'est la chanson des souricettes.

Où cours-tu si vite ma petite chevrette ? (bis)
À sauts de cabri je m'en vais faire la fête. (bis)

(Refrain)
C'est la chanson des p'tites chevrettes.

Où cours-tu si vite Marie, Marinette ? (bis)
Tout en sautillant je pars faire des emplettes. (bis)

(Refrain)
C'est la chanson de Marinette.

Où cours-tu si vi- te sou- ris, sou-ri-cette ? Où cours-tu si vi- te sou-

Je m'en vais au pré fai- re des ga-li-pettes. Je m'en vais au pré fai-re

ris, sou- ri- cette ? Ga-li-pettes et pirouettes, ga-li-pettes et pirouettes

des ga- li- pettes.

Pi- rouettes et ga- li- pettes, pi- rouettes et ga- li- pettes.

Le loup, le renard et la belette

Huguette la belette

Gaspard le renard

Crapouillou le loup

30

J'ai deux mains

J'ai deux mains
Elles sont propres
Elles se regardent
Se tournent le dos
Elles se croisent
Elles se tapent
Elles nagent
Elles s'envolent
J'ai deux mains
Elles sont propres
Et puis elles s'en vont
Cachées derrière mon dos.

32

J'ai deux mains elles sont pro-pres elles se re- gar-dent se tour-nent le dos

Elles se croisent elles se tapent el-les nagent el- les s'en-volent

J'ai deux mains elles sont pro-pres et puis elles s'en vont ca-chées derrière mon dos.

Câlinou
Koala

Câlinou, koala (bis)
Derrière l'arbre je vois
Ton drôle de petit nez
Tes oreilles ébouriffées.

Câlinou (bis)
Koala (bis)
Câlinou (bis)
Koala (bis)

Tu caches ton ventre blanc (bis)
Sur le dos de maman
Très très fort tu t'accroches
Puis tu reviens dans sa poche.

Câlinou (bis)
Koala (bis)
Câlinou (bis)
Koala (bis)

Câlinou, koala (bis)
Tes yeux se ferment déjà
Bonne nuit câlinou
Bonne nuit koala.

je rentre dans ma maison

Je descends l'escalier, hey, hey
J'appuie sur la sonnette
Bonjour papa
Et bonjour maman
Je m'essuie les pieds sur le paillasson
Et je rentre dans la maison
Sans oublier de donner un tour de clef.

mon jardin

la goutte au nez

Refrain : J'ai la goutte au nez, atchoum, atchoum ! (bis enfants)
J'ai les pieds gelés, gla-gla, gla-gla ! (bis enfants)
Bis

Quelle étrange saison, il pleut des glaçons
Je vois des pingouins, se frotter les mains
Oh là là l'hiver manque de couleurs
Où sont donc les fleurs, demande ma p'tite soeur.
(Refrain)

J'ai retrouvé les fleurs, au fond d'un tiroir
Brodées de couleurs, sur un des mouchoirs
Elles s'envoleront, le printemps venu
Regagner nos champs, décorées dorures.
(Refrain)

L'hiver est une feuille, tu dois colorier
Choisis des couleurs, au fond de ton coeur
Le bleu pour le ciel, le vert pour tes yeux
Les couleurs existent pour vous rendre joyeux.

goutte au nez

pieds gelés

Atchoum !

38

J'ai la goutte au   nez at-choum at-choum !

J'ai la goutte au   nez at-choum at-choum !

J'ai   les pieds ge - lés gla gla gla gla !

J'ai   les pieds ge - lés gla gla gla gla !

Le doudou

Mon petit frère
A perdu son doudou.
Où est-il ?
Je le cherche partout.

La famille au complet
Du garage au grenier
S'est dispersée
Afin de le retrouver.

On regarde à droite
À gauche
En l'air
Par terre
Et tout est à l'envers
Misère misère.

Je file au grenier
À quatre pattes sur le plancher
J'ne rencontre que
Des souris des araignées.

Rien à l'horizon
Pas même un vieil ourson
Une petite chelette
Un lapin un bidule chouette.

Je regarde à droite
À gauche
En l'air
Par terre
Et tout est à l'envers
Misère misère.

Hé ! J'ai une idée !
Filons dans la salle de bains
J'le vois tourner
Dans le hublot de la machine à laver
Nous sommes sauvés,
Les larmes de mon petit frère
Ont séché
Il est l'heure d'aller se coucher.

Je regarde à droite
À gauche
En l'air
Par terre
Et tout est à l'envers
Bonsoir les rêves.

M. DOUDOU

RECHERCHE

40

À droite

À gauche

En l'air

Par terre

Mon pe- tit frère a per- du son dou- dou.

Où est- il ? Je le cher- che par-tout.

Tapent tapent petites mains

Tapent tapent petites mains
Tourne tourne petit moulin
Vogue vogue petit bateau
Vole vole petit oiseau (6 fois)

44

Tapent tapent pe- ti- tes mains   Tourne tourne pe- tit moulin

Vogue vogue pe- tit ba- teau   Vole vole pe- tit oiseau

45